30 MINUTOS
PARA MUDAR O SEU DIA
Quando uma simples oração pode transformar absolutamente tudo

MÁRCIO MENDES

30 MINUTOS
PARA MUDAR O SEU DIA

*Quando uma simples oração pode
transformar absolutamente tudo*

Canção Nova
EDITORA

Direção geral: Fábio Gonçalves Vieira
Editora: Daniela Costa Miranda
Capa: Márcio Mendes
Preparação, diagramação e revisão: Longarina

Este livro segue as regras da Nova Ortografia da Língua Portuguesa.

Editora Canção Nova
Rua João Paulo II, s/n - Alto da Bela Vista
12630-000 Cachoeira Paulista SP
Telefone [55] (12) 3186-2600
e-mail: editora@cancaonova.com

Twitter: editoracn

Home page: http://editora.cancaonova.com

Todos os direitos reservados.

ISBN: 978-85-7677-480-8

© EDITORA CANÇÃO NOVA, Cachoeira Paulista, SP, Brasil, 2015

Sumário

Quando se reza com fé, tudo pode acontecer...................7

Experimente rezar com fé 13

Seja feliz todos os dias...17

30 minutos para mudar o seu dia 19

Eu reconheço o teu amor e a tua bondade 27

Eu te consagro este dia 35

Senhor, protege-me do mal!...41

Preciso da força do teu Espírito Santo..........................47

Senhor, tem misericórdia de mim! 53

Senhor, cura-me! 59

Senhor, eu preciso de ajuda..71

Senhor, peço que ajudes esta pessoa..............................79

Senhor, o que queres que eu faça?.................................85

Consagro-te minha mente, ó Deus 93

Quando se reza com fé, tudo pode acontecer

Tudo o que, na oração, pedirdes com fé, vós o recebereis.
(Mt 21,22)

Há muitos anos tenho visto coisas maravilhosas acontecerem por meio da oração. E, depois de todo esse tempo, continuo a me emocionar ao ver um grande número de situações dolorosas, angustiantes, e até mesmo impossíveis aos olhos humanos, se resolverem de maneira extraordinária quando homens e mulheres tomam a decisão de enfrentar seus problemas com fé em Jesus pela força da oração.

Você mesmo poderá constatar isso em sua vida ao reservar diariamente um momento para estar a sós com Deus e entregar-lhe todas as suas preocupações. Digo por experiência: Deus cuida de quem Nele confia. Graças a esse tempo gasto na presença do Senhor eu encontrei paz para o meu coração angustiado, superei conflitos sérios em relacionamentos, e tenho recebido de Deus a força para enfrentar os desafios de cada dia sem jamais perder a alegria.

No meu primeiro momento forte de oração, Deus me libertou de três males: eu era constantemente atormentado por uma tristeza mortal que me tirava o gosto pela vida; eu padecia de um sentimento muito duro de solidão; e era oprimido pelo medo de que a minha vida não desse certo. O Senhor tirou essas coisas de dentro de mim no momento em que decidi levar a sério meu relacionamento com Ele por meio da oração.

Olho, hoje, para a missão que Ele me confiou e confesso que, para mim, seria impossível anunciar a Palavra de Deus como tenho feito, em meio a tantas batalhas espirituais, sem este tempo de intimidade com o Senhor.

As pessoas mais sábias, fortes e cheias do Espírito Santo que eu conheço são também as mais orantes. Padre Ruffus, sacerdote exorcista que exerceu um poderoso ministério de libertação, estava sempre em oração. Padre Léo, possuidor de um magnífico carisma de cura interior, passou os seus últimos anos entre nós a ensinar com insistência que é preciso rezar a vida, ou seja, fazer com que tudo que realizamos se converta em oração. Padre Jonas Abib, pregador ardoroso e grande ministro de oração, fez de sua caminhada um testemunho da oração ao ritmo da vida e do trabalho santificado.

Eu poderia ainda citar muitos outros nomes de sacerdotes, religiosos e leigos, homens e mulheres que exercem poderosos ministérios de cura, libertação e evangelização porque se comprometem com a oração diária.

Unidos a Deus somos fortes e podemos superar qualquer problema. Sem a oração, somos fracos e seremos facilmente vencidos, até mesmo pelas dificuldades mais insignificantes. A oração é necessária e indispensável para conseguir tudo o que precisamos para ser feliz nesta vida. A oração é indispensável para alcançarmos a salvação. Sim! Há muita gente desavisada que não sabe que temos necessidade de rezar para nos salvar.

Estamos em uma época de incontáveis "espiritualismos", mas de pouca oração. Muitos são os que buscam conforto espiritual nos lugares mais estranhos sem perceber que não é possível alcançá-lo sem rezar. Talvez por essa razão muita gente se sinta fraca espiritual e emocionalmente. Qual a solução? As Sagradas Escrituras e os grandes mestres da espiritualidade recomendam vivamente que oremos para estarmos sempre unidos a Deus e, consequentemente, sermos curados, fortalecidos e libertados de todo mal.

Há muitos livros bons, inclusive, com ensinamentos verdadeiramente úteis para ajudar as pessoas a se aceitarem melhor, a lidar com traumas emocionais, a resolverem problemas de relacionamento, a viver com motivação etc. A questão é que, apesar de tantas dicas boas, nem sempre a pessoa alcança o resultado de que precisa. Há coisas que são impossíveis de realizar somente com nosso esforço. Mas se confiarmos em Deus e a Ele recorrermos, Ele nos socorrerá e nos dará aquilo que nos falta, até mesmo quando já não podemos fazer nada por nós mesmos (cf. Sl 127).

Sem a oração, ficamos cheios de ocupação por fora, mas sem nenhuma realização por dentro. Trabalhamos muito e produzimos pouco. Quando não rezamos, ficamos agitados, fracos e tristes. Atualmente, para viver uma vida que valha a pena, para fazer o bem e superar as dificuldades do dia a dia, ter bom caráter e ser uma pessoa realizada, não basta saber o que fazer nem ter boas intenções. É preciso a força do Espírito Santo, força que Jesus garantiu que Deus não a concede a não ser para aquele que reza e reza pra valer, com perseverança: *"Pedi e vos será dado!"* (Mt 7,7).

Tenho certeza de que não vamos nos arrepender do tempo que empregamos em oração quando estivermos em perigo ou enfrentarmos graves dificuldades.

Preparei esse livro para todos nós que estamos descobrindo a cada dia que rezar é um desafio e uma conquista. Sei que ajudará muito aos que estão começando a se firmar em sua espiritualidade. E sei também que ele será um bom apoio para os que já estão há algum tempo a caminhar com Jesus, mas continuam, como eu, a enfrentar dificuldades e tentações para não rezar. Justamente porque experimentei o que está aqui e sei que funciona, insisto: Coragem! Vá em frente. Experimente viver o seu dia no poder do Espírito Santo. Você descobrirá que uma nova vida é possível: uma vida mais generosa, mais saudável e feliz.

Experimente rezar com fé

Eu o salvarei, porque a mim se confiou; eu o exaltarei, pois conhece o meu nome. Ele me invocará, e lhe darei resposta.
(Sl 91,14-15a)

Há momentos em que você se sente muito desgastado, como se algo sugasse suas forças? De vez em quando você se sente sem direção sobre o próximo passo que deve dar? Ou já se deparou com situações que parecem em muito ultrapassar as suas forças? Eu também. Em tudo isso que nos acontece, temos de aprender a contar com Deus.

Recorrer a Deus em oração é a mais poderosa defesa contra todo e qualquer mal da parte dos que nos odeiam. Quem não reza sofre além do necessário e, por fim, acaba vencido. Santo Agostinho alertava: "Adão caiu em pecado porque não rezou". E o mesmo se dizia sobre os anjos decaídos que receberam em vão a graça de Deus e porque não rezaram se perverteram.

Entre as coisas preciosas que Jesus ensinou, Ele deu um destaque particular à oração. É por meio dela que recebemos de Deus:

1. *A força que não temos.*
2. *Um aumento na força que já temos.*
3. *E a providência para tudo o que ainda nos falta.*

Por isso, na hora da confusão, quando descemos ao fundo das nossas fraquezas e, sobretudo, nas horas de perigo só existe "Um" a quem não podemos deixar de recorrer: Deus. Podemos fazer isso agora mesmo se quisermos. Levantar os nossos olhos em Sua direção e pela oração alcançar da sua misericórdia toda ajuda e salvação. E a exemplo do rei Josafá, rezar: "Como não sabemos o que devemos fazer; não nos resta outro meio a não ser levantar os nossos olhos para vós, ó Senhor!".

Reze. Recorra a Deus com confiança. Ele providenciará tudo o que você necessita.

Uma vez que Deus está do nosso lado, por que não iríamos contar com Ele? Se o Senhor não estivesse do nosso lado, se Ele não fosse por nós, estaríamos perdidos.

De quantos males Deus nos livrou! De quanta coisa ruim já escapamos como que por um triz! Como diz o Salmo 125,7: "a armadilha se quebrou e escapamos como um passarinho".

Nós precisamos nos convencer... Desculpe insistir, mas, você precisa se convencer de que o seu auxílio está no nome do Senhor que fez o céu e fez a terra. Eu preciso me convencer, cada vez mais, de que meu socorro é Deus e a minha arma é a oração confiante:

> *Cura-me, ó Deus*
> *Socorre-me com tua força*
> *Guarda-me com teu poder*
> *Protege-me com teu amor*
> *Guia-me com teu Espírito*
> *De modo que, neste dia, onde quer que eu vá...*
> *Vá tu, ó Senhor, à minha frente.*
> *Assim seja, amém!*

Seja feliz todos os dias

Pedi e recebereis, para que a vossa alegria seja completa.
(Jo 16, 24b)

Uma vida de oração, quando é verdadeira, não dá apenas força interior, mas vai transformando aquele que reza em alguém mais maduro, saudável e sensato. Quando eu sou coerente no meu relacionamento com Deus, eu me encontro, eu me realizo, eu me torno feliz.

Felicidade é consequência de uma vida de oração que nos mantém unidos a Deus. Quando uma pessoa é tocada pelo Espírito Santo não se preocupa mais em correr atrás da felicidade, a única coisa que deseja é encontrar e estar com Deus. Então, trata de abandonar tudo aquilo que a impede de estar sempre na presença do Senhor. E faz bem, pois se quisermos orar como convém é preciso tirar do coração o entulho do pecado, da falta de perdão e das distrações inúteis.

Um coração entulhado nos expulsa de nós mesmos. Aprendi com Santo Agostinho: "Você precisa de um lugar para rezar? Reze em seu coração. Seja você mesmo um lugar onde Deus habita, e Ele ouvirá as suas orações".

Quando, na intimidade, a pessoa insiste em pedir que Deus venha em seu socorro e lhe dê a vida eterna, Ele sempre a escuta. Porque é exatamente isso o que Ele quer lhe dar! E mesmo que a pessoa ainda não tenha recebido essa graça, não há a menor dúvida de que ela a receberá e muitas outras também, desde que persevere.

30 minutos para mudar o seu dia

O Senhor está convosco enquanto vós estais com ele. Se o procurardes, ele se deixará encontrar, mas se o abandonardes ele vos abandonará.
(2Cr 15,2)

Quando comecei a reservar um momento do meu dia para estar a sós com o Senhor, enfrentei muitas dificuldades para ser fiel a essa decisão. Tudo parecia colaborar para que aquela hora não acontecesse. Apareciam situações que requisitavam a minha presença, pessoas vinham me visitar justo naquele horário, outras ficavam incomodadas e reclamavam que eu rezava demais.

Além disso, eu sentia como se estivesse falando com as paredes, tinha a impressão de que Deus não me ouvia, e pensamentos ruins, até mesmo indecentes invadiam a minha cabeça. Mais tarde, descobri que eu não era o único. Muitas pessoas enfrentavam o mesmo problema e, assim como eu, precisavam de ajuda para enfrentar essas tentações e se firmar.

Deus não só me ajudou a persistir como também foi me ensinando a organizar a minha vida de oração. Ele foi me mostrando como era importante, para esse começo, criar uma rotina, escolher sempre um mesmo lugar e horário, diversificar as formas de oração, criando uma dinâmica própria, de modo que várias pequenas orações preenchessem esses 30 minutos que eu havia separado para estarmos somente Deus e eu.

Confesso que isso mudou a mim e tudo em minha volta.

Organizei aquele tempo em 10 momentos de 3 minutos que ficaram assim:

1. *Eu reconheço o teu amor e a tua bondade*
2. *Eu te consagro este dia*
3. *Senhor, protege-me do mal*
4. *Preciso da força do teu Espírito Santo*
5. *Senhor, tem misericórdia de mim*
6. *Senhor, cura-me*
7. *Senhor, eu preciso de tua ajuda*
8. *Senhor, peço que ajudes esta pessoa*
9. *Senhor, o que queres que eu faça?*
10. *Consagro-te a minha mente, ó Deus.*

O melhor que pode acontecer é que este momento forte de oração transborde em graças para todas as outras horas do nosso dia. Começamos a rezar esses 30 minutos e, de repente, notamos que falar com Deus, em meio às nossas atividades cotidianas, tornou-se a coisa mais natural.

Você pode viver esse tempo forte em qualquer hora do dia. Escolha a que for melhor pra você, seja pela manhã, no intervalo do almoço, à tardezinha ou à noite. Se quiser, pode rezar mais do que meia hora.

Alguns não rezam porque acreditam que estão desperdiçando um tempo que poderia ser usado de outra maneira. Mas a experiência nos revela que a oração multiplica o tempo. Em geral, quem reza faz mais coisas em menos tempo e com maior qualidade.

E como rezar se aprende rezando, eu aprendi muito com as orações escritas por outras pessoas. São orações que se tornam nossas quando as fazemos de coração e com fé. Não importa que outra pessoa as tenha escrito, se você pede a Deus o que está ali, Ele ouve você. Um pai jamais deixaria de se comover com as súplicas do filho mais novo simplesmente porque ele copiou os pedidos do irmão mais velho. O que interessa ao pai nessa hora é a necessidade e a confiança de quem pede.

As orações neste livro são poderosas em Deus e capazes de derrubar as barreiras que nos afastam Dele. Elas nos ajudarão muito naqueles dias difíceis em que nem sequer sabemos por onde começar a rezar. Contudo, você verá que pouco a pouco o Espírito Santo vai lhe conduzir a modificá-las tornando-as cada vez mais suas.

Oração é coisa simples, mas é poderosa para mudar qualquer vida. Espere muito, e espere coisas muito boas desse momento diário com o Senhor. Tudo pode acontecer quando Deus é envolvido na causa, e você vai testemunhar isso!

A primeira atitude que devemos ter é de fé – abrir o coração e confiar no Senhor. Inclusive, porque Ele já está cuidando de você. Conte com Ele ainda mais a partir de agora. Procure viver esse momento como um filho que se lança nos braços bondosos do pai. O Espírito Santo quer lhe mostrar que existe uma maneira muito mais cheia de amor e mais realizadora de se viver. Rezar é isso: mergulhar no amor de Deus que nos cura e salva.

Quanto mais você se entregar mais experimentará a graça de Deus purificar, libertar e curar seu coração. Você receberá fortalecimento e proteção. Mas, o melhor de tudo é que Deus lhe dará uma efusão do Espírito Santo tão grande que mudará toda a sua vida. Você sentirá crescer a cada dia em seu interior uma paz e uma força que nunca havia imaginado ser possível.

Portanto, manifeste ao Senhor que você deseja experimentar hoje mesmo o seu amor e a sua misericórdia. Ânimo! Será um abraço do Deus amoroso que é seu Pai. Simplesmente confie, e aceite o amor que Ele tem por você. Deixe que Ele preencha os vazios em seu coração e cure as feridas deixadas pela solidão.

Diga-lhe: *"Meu Deus, preciso que o Senhor me ajude. Fica comigo nesta hora"*. O Senhor mesmo é quem o convida pessoalmente: *"Venha a mim e traga-me o seu cansaço. Traga-me a sua vida pesada com todas as suas dores. Deposite aos meus pés as suas preocupações. Eu quero que você tenha alívio. Quero curá-lo, fortalecê-lo, e farei isso. A única coisa que peço é que confie em mim"*.

Quantas coisas boas e até mesmo milagrosas deixam de acontecer porque as pessoas não acreditam que Deus as atenderá e por essa razão não pedem Sua ajuda. Mas, o Senhor quer que contemos com

Ele e quer que o importunemos com as nossas súplicas. Se não nos achegarmos a Ele, jamais entenderemos a grandeza de seu plano para cada um de nós, jamais compreenderemos a força milagrosa contida na *"persistência da oração"*.

Então, você aceita o desafio? Quer ver de perto o que Deus faz na vida de uma pessoa que reza? Estou seguro de que você não se arrependerá. Aliás, guarde no seu íntimo esta certeza: no exato momento em que você se predispôs a viver essa experiência de oração, ainda que seja em apenas 30 minutos diários, já começou a obra linda do Senhor na restauração da sua vida e da sua família.

Vamos lá! Escolha um lugar tranquilo e leve com você papel, caneta, sua Bíblia e este livro. Vamos mergulhar juntos nestes 30 minutos preciosos em que Deus vai lhe dar tudo o que você necessita para este dia de hoje:

Meu Deus e meu Pai, o Senhor enviou Jesus para que as nossas orações tenham a força e a autoridade necessárias para alcançar tudo o que nós pedirmos. Peço perdão, Senhor, porque muitas vezes rezamos sem fé, sem perseverança, com má vontade ou nem mesmo rezamos. Por essa razão, fomos derrotados tantas vezes, ficamos confusos e nos sentimos perdidos. O Senhor deu às nossas orações o poder de abrir os reservatórios dos céus e obter todas as graças. Mas nós, porque não quisemos recorrer a ti, temos passado por grandes necessidades e aflições. Ah, Senhor! Abre a nossa inteligência e mostra-nos o poder que tem a oração feita em nome de teu Santo Filho Jesus – capaz de mudar mesmo as realidades mais difíceis.

Pai das misericórdias, em nome de Jesus, nós suplicamos para que nos seja concedido agora uma nova graça de oração cheia da eficácia do poder do Espírito Santo. Reveste-nos com a força do alto para que a tua salvação se manifeste também através de nós. Aumenta neste dia de hoje o nosso gosto pela oração, o nosso amor pela tua Palavra e o nosso zelo pela salvação de tantos que sofrem atormentados em todo o mundo.

Espírito Santo, vem sobre mim, toma conta do meu coração e enche-me com teu amor. Eu desejo me encontrar pessoalmente contigo, Senhor. Por favor, ajuda-me. Ensina-me a rezar e, sobretudo, a perseverar.

Amém.

Eu reconheço o teu amor e a tua bondade

Reconhecei que o Senhor é Deus; glorificai-o e bendizei o seu nome, porque o Senhor é bom, sua misericórdia é eterna e sua fidelidade se estende de geração em geração.
(Sl 99,3-5)

Reconhecer a bondade de Deus abre nossa inteligência e nosso coração para acolhermos suas graças e seu plano de amor para nossas vidas. Agradecer é indispensável para que sejamos curados e cresçamos espiritualmente. Mais ainda: quando perseveramos na oração de louvor e de ação de graças, sobretudo nos momentos em que não temos nenhum desejo de rezar, esse esforço nos conduz à presença de Deus e nos fortalece. Além do mais, o Senhor nos ama, Ele quer o nosso bem e merece nosso louvor.

Ainda que a nossa oração não acrescente nada a Deus; Ele quer que o louvemos e agradeçamos porque isso nos faz bem, nos liberta do pessimismo e gera alegria em nós.

Agradecer a Deus é assumir o bem que Ele nos

faz; é admitir que sem Ele nossa vida é uma infelicidade e um fracasso. Porém, é preciso um pouco de cuidado para não confundir louvor e agradecimento com conformismo barato ou com autoanulação.

Alguns, pelo desejo de mostrar aos outros que aceitam tudo o que lhes acontece, adotam uma postura infeliz que chega a irritar e mesmo a ofender as pessoas. Agradecem por tudo o que lhes acontece, como se quisessem se convencer e convencer ao mundo de que são intocáveis – que nada de mal pode afetá-los.

Em sua Palavra, Deus não nos manda estar contentes "com tudo"; mas "apesar de tudo". Chega a ser desumano pensar que o Senhor quer que achemos bom e agradeçamos mesmo pelas coisas ruins que podem surgir em nossas vidas. Há uma grande diferença entre "agradecer por tudo" e "agradecer em todas as circunstâncias". Por exemplo: Não agradeço por ter pecado; mas porque, em meio ao meu pecado, Deus não me abandonou. Não agradeço pelo acidente; mas porque Deus me deu forças para sobreviver à dor ou superar a perda que aquele acidente me causou.

Quando temos a força do Espírito Santo, tudo o

que nos acontece encontra um sentido para o nosso bem e para o nosso crescimento. Também por essa razão, Jesus avisa para tomar cuidado com o demônio. A obra do espírito maligno é tirar o sentido da vida por meio da mentira e assim conduzir a pessoa à revolta, ao desânimo e à morte.

Nossa felicidade não se baseia na ilusão de que Deus só permitirá que nos aconteçam coisas boas – isso é uma tentação e um desvio. Uma pessoa se torna feliz na medida em que se firma na certeza de que Deus irá sempre ampará-la nos momentos mais difíceis. Não somos felizes por ter uma vida sem sofrimentos, mas pela certeza de que teremos proteção e ajuda sempre que precisarmos. É por isso que eu louvo. Por isso, agradeço. É nisso que reconheço o amor e a bondade do Senhor.

Às vezes, não conseguimos louvar a Deus porque temos o coração bloqueado pelas mágoas e pela decepção. O coração acabrunhado de tristeza tem dificuldade para reconhecer as coisas boas que lhe acontecem. Todos já passamos por isso e já sofremos muito na vida. É importante encontrar um jeito de desabafar e nos livrar das mágoas e demais entulhos emocionais. Deus vai nos ajudar!

Mas, antes, eu gostaria de lhe propor algumas experiências tão simples quanto restauradoras: abra a janela da sua sala e sinta o sol da manhã batendo em seu rosto, respire fundo, deixe a brisa suave perfumar seu dia; abrace seu filho bem apertado, sinta o cheiro dele; tome um cafezinho com alguém que você ama, entre em contato com um amigo querido somente para ouvir sua voz; deite de costas na grama e conte as estrelas no céu, pare de pensar em desgraças e comece a pensar no quanto Deus ama você, que Ele o perdoa e o protege; encontre seu motivo para agradecer, e depois... Louve-O por tantas e tantas bênçãos.

Existe uma força incomum nas pessoas agradecidas: são mais firmes, mais serenas, não se abalam facilmente, possuem a capacidade de ver a vida para além das aparências, e contagiam a muitos com a confiança que têm nos planos de Deus.

Há sempre algo que nos é dado e pelo qual vale a pena agradecer. Há sempre mais graças a reconhecer do que desgraças a lamentar. E o mais interessante é que quando estamos cheios de gratidão, isso desencadeia um processo de cura em nós.

O segredo para ter pensamentos mais saudáveis,

para ganhar ainda mais gosto pela vida, para tornar-se mais maduro afetiva e espiritualmente, ou mesmo para reconstruir uma vida despedaçada pela dor é reconhecer sinceramente que Deus é bom e que nos ama, é louvá-lo com palavras e atitudes. Vamos fazer isso juntos?

Faça a próxima oração em voz alta. Abra seu coração e se abandone nas mãos de Deus. Deixe o Espírito Santo conduzir você. Nos próximos minutos, experimente maravilhar-se com a bondade e o amor de Deus.

Oração de reconhecimento e gratidão a Deus

Meu Senhor e meu Deus, eu te louvo com todo o meu coração. E, com tudo o que há em mim, eu bendigo a tua Santa Presença. Como eu poderia esquecer tanto bem que o Senhor me faz? Todos os dias eu me lembro, Senhor Deus, de tua bondade.

Eu te bendigo porque tu perdoas os meus pecados. Eu te bendigo porque me curas de minhas fraquezas, saras as minhas doenças e me levantas de toda enfermidade. Eu te louvo, Senhor, porque não há ninguém como tu que salva minha vida da morte e me cerca de bondade e de misericórdia.

São incontáveis, meu Deus, os teus carinhos. Quanta coisa boa, quanta gente de bem o Senhor fez entrar em minha vida! Eu estava cansado, perdido, desgastado e tu me renovaste. Louvado seja, meu Senhor!

Obrigado, Pai amado, por todas as vezes em que eu fui injustiçado, humilhado e oprimido e o Senhor tomou a minha defesa. O Senhor é o meu defensor, é por isso que não preciso ter medo. Louvores e glórias a ti!

Que o teu nome seja exaltado, que todos escutem e se alegrem comigo, por que o Senhor é o Deus que mostra o caminho quando já não sabemos o que fazer. Eu estive perdido e o Senhor me iluminou, não sabia o que fazer e o Senhor me revelou, deu-me entendimento e me fez ver o caminho que devia seguir. Glórias e louvores a ti, Senhor!

Meu Deus, como o Senhor é bom! Como é verdadeira a tua palavra que diz que o Senhor não se irrita facilmente, mas é cheio de perdão e de ternura. Obrigado por ter esperado por mim, por ter tido paciência comigo, por me corrigir com brandura e por dissolver as minhas faltas no oceano infinito da tua misericórdia.

Senhor, eu te louvo porque, se é grande o meu pecado, maior ainda é o teu amor por mim. Eu te bendigo porque o Senhor me corriges para minha felicidade e salvação e nunca me abandonas, pois isso seria a minha perdição.

Até mesmo a imensidão do Universo é pequena comparada à misericórdia que tens com aqueles que te procuram. És bom comigo, meu Senhor. És misericordioso e afastaste da minha vida o maligno e tudo o que me amaldiçoava.

Despedaçastes os meus pecados de uma vez por todas. Como um pai cheio de amor cuida de seu filhinho, o Senhor tem cuidado de mim e me libertado. Sei que renovas as minhas forças neste exato momento. Eu creio. Glórias e louvores a ti, Senhor!

Senhor, eu sou fraco e limitado; minha vida sem ti é como uma chama que se apaga. O que me sustenta, meu Deus, é o teu poder salvador, é a tua misericórdia sempre pronta a socorrer. Como poderia eu não te louvar, nem reconhecer o teu amor se vejo que desde que recorri a ti, tu proteges não só a mim, mas a toda a minha família?

Senhor, eu te louvo. Reconheço a tua supremacia e a tua autoridade sobre a minha vida. Com teus santos anjos, valentes guerreiros, sempre fiéis a tua Palavra, eu te bendigo. Com todos aqueles que te amam e estão sempre prontos a te obedecer, eu te louvo.

A todo momento, em todo lugar, e de toda a minha alma, eu proclamo: bendito sejas Tu, meu Senhor e meu Deus!

É possível louvar a Deus ininterruptamente? Creio que sim: faz da melhor forma o que tens que fazer e estarás louvando a Deus continuamente.
(Santo Agostinho)

Eu te consagro este dia

Consagre ao Senhor tudo o que você faz e os seus planos serão bem-sucedidos.
(Pr 16, 3)

No que se transforma a nossa vida quando não a consagramos a Deus? Em uma infelicidade. Consagrar significa aplicar a Palavra de Deus a toda e qualquer situação da nossa vida de modo a torná-la sagrada.

Triste... Infeliz de mim... Desgraçado que me torno toda vez que faço o contrário do que a Palavra de Deus me orienta. Não há nenhuma situação da minha vida em que eu possa viver longe de Deus. Tudo o que eu fizer contrário ao que Deus me ensina em sua Palavra trará frutos negativos e irá me prejudicar.

Por que tantas e tantas vezes reclamamos da vida?

Por que somos infelizes na medida que não aplicamos a vontade de Deus a toda e qualquer situação que nos envolve. Pra comprovar que é mesmo assim, São João conta sobre a traição de Judas (Jo

13,13-17), mostrando que pouco adianta uma pessoa estar envolvida com as coisas de Deus, se não tem disposição de obedecê-lo. Judas vivia com Jesus apenas porque achava que ia lucrar com isso: roubava, mentia, traía e isso foi o seu fim.

Quem está sempre na Igreja, convivendo com pessoas de fé, aprendendo sobre as coisas de Deus, mas não faz o que Ele manda, é como uma garrafa fechada à rolha – o Espírito Santo o envolve de todos os lados, porém não consegue entrar e transformar seu coração. Para que não seja assim, aplique a Palavra de Deus a cada situação da sua vida hoje. Transforme sua vida em oração.

Não há nada na vida da gente que não possa ser transformado em motivo de oração e pelo qual Deus não fale conosco. Jesus gastou a vida dele para nos ensinar esse segredo. Aliás, esse é o caminho infalível que Ele usa para curar e libertar cada pessoa. Que caminho? Mostrar para as pessoas que Deus está próximo, mostrar que a salvação está cercando a sua vida nas coisas simples do dia a dia, mostrar que tudo o que uma pessoa faz, se o fizer de maneira santa, pode se converter em uma trajetória de cura e libertação que vai levá-la a ser feliz neste mundo e ajudá-la a alcançar a salvação.

Nossa vida precisa ser uma constante conversa com Deus. *Con - versar* é você verter diante do outro o que está em sua alma para que o outro verta também em você. Ou seja, no diálogo da oração, na medida em que você se coloca em Deus, Ele se coloca em você, o tempo todo, o dia inteiro. Eis a pergunta mais importante dessa conversa: Meu Deus, eu estou fazendo a coisa certa? A minha vida e as minhas atitudes estão de acordo com a vontade do Senhor que me criou? Estou agindo certo?

No exato momento em que tomo a decisão de consagrar a Deus o meu dia, começa um processo de cura e fortalecimento em mim. Permita que o Espírito Santo ensine a você a melhor maneira de fazer isso. Você pode confiar: Deus ama você e estará o tempo inteiro ao seu lado, conduzindo-o de uma maneira espantosa para o seu próprio bem. Quanto mais você se entregar, mais Deus agirá e tudo vai melhorar.

Oração de consagração do dia

Meu Pai amado, eu me consagro a ti, neste dia, de todo o meu coração e de toda minha alma. Lava-me no precioso sangue de Cristo e purifica-me de todo o pecado. Em ti, Senhor, eu me guardo, sei que Tu me preservarás.

Eu te consagro este dia e, por tua bondade, ampara-me!

Ouve, meu Deus, minha oração e liberta-me do mal. Livra-me de tão perigoso inimigo – protege-me de todas as suas sugestões diabólicas! Senhor, és a minha defesa e a minha proteção; salva-me. Entrego-me em tuas mãos.

Em nome de Jesus, dirige meus passos em tudo o que eu fizer. Por teu Santo Espírito, guia-me! Se o inimigo armou ciladas contra mim, livra-me de todas elas.

É pela tua força que hoje vencerei. Tudo o que tenho e sou, minha família e bens, tudo entrego em tuas mãos. Não permitas, Senhor, que eu me perca, nem que me prejudique qualquer força maligna. Em ninguém ponho minha esperança a não ser em ti, meu Deus fiel. Em ti, espero. A ti me consagro. Tu és o meu Deus. Na tua mão está o meu destino. Faz-me ver, Senhor, que estás agindo e que pões em volta de mim a cerca de tua misericórdia. É nesta confiança que viverei este dia.

Eu concordo plenamente em viver os planos que tens para mim hoje. Submeto a minha vontade à tua. Como o pai toma pela mão o filho pequenino e o conduz, assim, Senhor, eu quero ser conduzido pelo teu Espírito Santo onde quer que eu vá.

Proclamo Jesus como Senhor de toda a minha vida. Consagro-me a ti como meu único dono e Salvador. Nada reservo para mim. Nada permito em mim que esteja fora da esfera da tua vontade. Nada quero esconder. Consagro-te a minha casa, os meus bens, os meus afazeres, meus talentos, minha família, as pessoas que amo e também as que eu ainda não consigo amar. Consagro-te meu tempo e os resultados de todos os meus esforços, perdas e ganhos, fracassos e vitórias.

Eu renuncio ao fardo de tentar ser eu mesmo o meu próprio salvador e me confio em tuas divinas mãos. Minhas fragilidades, meus sentimentos, meus temores e hesitações, minha sexualidade e tudo o mais deposito aos teus cuidados.

Consagro-te especialmente _____
(permita que o Espírito Santo mostre o que mais você deve apresentar a Deus neste momento).

Como é grande a bondade com que Tu, meu Deus, envolves os que te amam e proteges os que a ti se consagram.

Defende-me e guarda-me embaixo de teus braços, conserva-me longe daqueles que agem com malícia e operam com crueldade. Da língua maledicente, esconde-me. Que o invejoso não me veja!

Consagro minha vida inteira a ti; e declaro hoje diante de todos os anjos e santos que a minha salvação, o meu sustento, a minha restauração, a minha proteção e cura está no nome do Senhor que fez o céu e a terra. Por tudo o que o Senhor já me deu, glórias e louvores a ti. Por tudo o que ainda receberei, eu te louvo, Senhor. Na alegria ou na dor, na tranquilidade ou em meio às aflições, eu sou teu, meu Deus.

Bendito seja o Senhor que mostrou para comigo uma ternura infinita.

Amém!

Senhor, protege-me do mal!

As armas do nosso combate não são carnais.
São armas poderosas aos olhos de Deus,
capazes de derrubar fortalezas.

(2 Cor 10,4)

A Palavra de Deus nos ensina que na luta contra o mal é preciso saber não só o que fazer, mas também como fazer. O que fazer? *"Fortalecei-vos no Senhor, no poder de sua força"* (Ef 6, 10). Como fazer? *"Com toda sorte de preces e súplicas, orando constantemente no Espírito, vigiando e intercedendo"* (Ef 6,18).

Quem tem o espírito fraco é facilmente enganado. Há forças espirituais malignas capazes de envolver, seduzir e dominar nossas vidas, oprimindo nossa liberdade, tornando-nos pessoas fechadas e limitando nossa capacidade de sermos cheios de amor. Jesus nos deu poder e autoridade para enfrentar e derrotar essas forças (Mc 16,17).

Para quem quer vencer, há uma determinação indispensável: fortaleça-se em Deus, no poder do Espírito Santo, orando constantemente. Pois, a nossa força espiritual nasce da intimidade com Deus. E a intimidade com Deus nasce da oração. É a única maneira de resistir às ciladas do diabo.

A Sagrada Escritura nos revela que o maligno nos apanha por meio de armadilhas. Mas, armadilhas não podem parecer armadilhas, senão fracassam. Outro problema da armadilha é que depois que você cai nela é muito difícil escapar, por isso, é necessário um processo de libertação.

Jesus nos revela que o diabo vem para roubar, matar e destruir o ser humano (Jo 10,10). Pedro garante que o demônio está sempre à procura de uma brecha para entrar e despedaçar a vida das pessoas (1 Pd 5,8). E, infelizmente, o maligno sabe usar a isca certa. Pega cada um por suas fraquezas: primeiro, oferece o que a pessoa quer; depois, tira dela tudo o que for possível, sem lhe dar nada em troca.

Precisamos acordar. Nossa luta não é contra pessoas de carne e sangue, mas contra as forças espirituais do mal espalhadas pelos ares (Ef 6,12). Lutamos contra três grandes inimigos: a "velha criatura" dentro de nós; o "espírito mundano" à nossa volta; e o "demônio" logo acima de nós – espalhado nos ares. Mas contra todos eles, a arma é uma só: a oração.

Precisamos estar revestidos da armadura de Deus, empunhando o escudo da fé. O Senhor nos garante que pela fé podemos apagar todas as flechas incendiárias com as quais a tentação procura tocar fogo em nossa vida. A fé desmantela a tentação e tira dela o seu poder. Com a fé, você se defende. Com a espada da Palavra de Deus, a tentação é combatida e destruída.

Às vezes, sem perceber, abrimos nossas portas à influência do mal e ficamos suscetíveis. Chegou a hora de fechá-las. A oração nos coloca sob a proteção de Deus e nos confere autoridade para rechaçar as forças das trevas. Recorrer a Deus pela oração é a mais poderosa arma contra o demônio. Então, vamos pedir proteção ao Senhor.

Oração de proteção contra o mal

Pai amado, em nome de Jesus Cristo, venho pedir tua ajuda, pois eu admito que determinadas tentações têm grande força sobre mim. Cometo os mesmos pecados inúmeras vezes e com isso ofendo a Deus e prejudico as pessoas mais próximas de mim. Misericórdia, Senhor, pois tenho caído. Perdão por eu não resistir aos apelos do pecado e aos ataques do maligno.

Em nome de Jesus, diante de sua cruz sagrada, eu reprovo, condeno, e renuncio ao meu pecado. Eu renuncio a Satanás, autor de todo o mal, de todo o pecado e pai de toda mentira. Eu renuncio a todo espírito de orgulho e arrogância, ao espírito de ódio e inveja, ao espírito de ciúme doentio e de posse. Senhor, eu renuncio aos meus pensamentos, sentimentos, intenções, palavras e atitudes de ressentimento, julgamentos cruéis, acusações, falsas justiças, mentiras, desejos de possuir e dominar sobre os outros, imoralidades, perversões, impurezas sexuais, rebeldias, bem como a qualquer coisa que insulte a Deus.

Em nome de Jesus, recorro a ti, meu Pai, e peço que pelo poder do teu Espírito me libertes desses pecados e de quaisquer outros. Recuso-me a ser prisioneiro das trevas. Pelo Sangue de Jesus, rompo com esses pecados e me levanto contra todos os espíritos demoníacos que investem contra mim para manter minha vida cativa, amarrada. Eu invoco o nome santo de Jesus! Eu clamo pela presença do Salvador aqui e agora junto de mim e me liberto!

Jesus, meu Senhor, tu esmagaste a cabeça da serpente infernal. Em teu nome, o maligno é obrigado a se afastar de mim e de minha família. Graças a ti, foram anuladas as recriminações e as reivindicações do inimigo sobre mim. Senhor Jesus, teu sangue me lavou de todo o pecado e me resgatou do domínio de Satanás.

Declaro, portanto, que ao crer em ti eu fui salvo, Senhor. Tu és o valente guerreiro de Deus, vencedor das hostes inimigas, a quem o maligno é obrigado a se sujeitar e diante de quem é forçado a se retirar. Por tua cruz, foi despedaçada toda força satânica e eliminado o pecado que pesava sobre mim.

Eu escolho estar com Deus. Eu me decido por Jesus Cristo. Ponho a minha confiança no Filho de Deus, meu

Salvador. Submeto-me de boa fé ao que Deus quer de mim, ao que Ele me manda. Eu aceito carregar minha cruz com Jesus, pois sei que com ela Deus me faz vencer; por meio dela, Deus me dá a vida eterna. Eu reconheço e declaro que a minha cruz, em Jesus, é o segredo de Deus para a minha ressurreição.

Coloca, Senhor, o teu sangue precioso como uma muralha entre mim e o inimigo, de maneira que ele não possa de modo algum transpor-se para o meu lado. Isola para longe de mim todos os poderes já vencidos e anulados do adversário por ti derrotados.

Liberto pelo teu sangue, farei o que tu quiseres, ó Deus.

Sou de Cristo – do sangue de Cristo, das chagas de Cristo, da cruz triunfante de Cristo. Eu pertenço a Deus.

– Eis a cruz do Senhor, fugi potências inimigas.

– Venceu o Leão da tribo de Judá, a estirpe de Davi. Amém!

Preciso da força do teu Espírito Santo

Da mesma forma, o Espírito vem em socorro da nossa fraqueza, pois não sabemos o que pedir nem como pedir; é o próprio Espírito que intercede em nosso favor, com gemidos inefáveis.
(Rm 8,26)

Graças ao Espírito Santo, existe no fundo do nosso coração esses gemidos inefáveis, como brasas crepitantes ardendo sob as cinzas de nossas fraquezas. Há uma mina inesgotável de força no íntimo da nossa alma.

Os discípulos juntamente com a mãe de Jesus experimentaram esse poder quando se uniram e permaneceram em oração até que o Espírito do Senhor descesse sobre cada um deles em línguas de fogo – abrasando seus corações, enchendo-os de desassombro e intrepidez para que pudessem levar a Salvação às pessoas.

Deus derrama o seu Espírito Santo em nós para nos dar o poder de levar Jesus ao mundo. Mas outra coisa também acontece com esse derramamento: fazemos a experiência sensível, concreta e abrasadora do amor de Deus por nós.

Falando a respeito dessa presença do Espírito capaz de aquecer, fecundar e derreter o gelo do pecado que enrijece a alma, Santo Efrém da Síria escreveu:

> É graças ao calor que tudo amadurece; é graças ao Espírito que tudo se santifica. Como o calor derrete o gelo dos corpos, assim o Espírito derrete a impureza dos corações. Com o primeiro calor a raiar, saltitam os bezerrinhos na Primavera: assim também os discípulos, quando sobre eles vem o Espírito. O calor rasga os troncos congelados, que aprisionam flores e frutos; graças ao Espírito Santo é quebrado o jugo do Maligno, que impede a graça de desabrochar. O calor desperta o seio da terra adormecida; assim procede Espírito Santo com a Igreja.

O Espírito Santo é aquele que nos devolve a vida ao fazer-nos voltar ao fogo do amor de Deus. Ele mesmo é esse fogo.

O que é que não se faz no Alasca, nas regiões geladas da Sibéria e em tanto outros lugares onde o inverno é terrível, para se manter o fogo aceso e a casa aquecida? Não se para de trabalhar e procurar até que se consiga toda a lenha ou outro combustível necessário. Do mesmo modo, nenhum de nós jamais deveria deixar de lutar para manter sempre mais aceso o fogo sagrado do Espírito que crepita, geme, vela e intercede para socorrer nossa fraqueza.

Digo "manter sempre mais aceso" porque nós frequentemente o sufocamos. Nós jogamos escombros e lama em cima desse fogo toda vez que nos entupimos de confusão, correrias desnecessárias, distrações nocivas e permitimos que os nossos pensamentos e desejos se revolvam no pecado e contrariem a Deus. Corremos o risco de "extinguir o Espírito" (1Ts 5,19), adverte Paulo.

Aqui está uma das verdades mais lindas da Sagrada Escritura: dentro do coração humano mora o Espírito Santo que ora em nós, para nos fortalecer e defender. E essa chama acesa ilumina a nossa mente, enche de amor o nosso coração, dá saúde ao nosso corpo, comunica unção às nossas súplicas e dá poder a todas as outras formas de oração: de louvor, de perdão, de intercessão, e tantas outras que conhecemos.

Cheios de Deus, até mesmo o nosso silêncio se reveste de uma força imensa.

Muitas pessoas podem testemunhar que tudo em sua vida começou a funcionar a partir do momento em que começaram a entregar a direção da sua vida nas mãos do Espírito Santo e se permitiram inflamar por Ele. Então, clamemos:

Oração para ser cheio do Espírito Santo

Senhor Jesus, eu te bendigo porque a minha fraqueza nunca será maior que o amor que tens por mim; nem meu pecado mais forte que o teu sangue redentor. Por tua causa, eu me levanto todos os dias e persevero.

Por tua cruz, o Senhor já me salvou. Eu não vou desistir de lutar. Se o Senhor é por mim, o que pode o mal contra mim? Eu te bendigo por que Tu me olhas cheio de amor e já sabes como vai me enviar o teu Espírito Santo neste momento. Recorro, então, ao teu nome e clamo: Meu Deus, em Nome de Jesus, que me alcançou todo o bem de que necessito, envia sobre mim o teu Espírito Santo. Cumpre na minha vida tua promessa, inunda-me com tua graça e enche-me com a tua força. Dá-me, Senhor, um derramamento do teu Espírito que transforme todo o meu ser e faça de mim uma pessoa nova!

Jesus Amado, sopraste sobre teus apóstolos e todos ficaram cheios do teu Espírito Santo. Senhor, sopra sobre mim. Em Pentecostes, fizeste descer sobre os que estavam no Cenáculo o Fogo Vivo do Céu. Faz descer também sobre mim este fogo. Derrama o fogo do teu coração misericordioso sobre o meu coração e enche-o com o teu Santo Espírito para que tua unção me purifique e me transforme completamente.

Vem, Espírito Santo. Vem, em Nome de Jesus. Envolve todo o meu ser e abrasa-me no calor do teu amor. Inflama-me, purifica-me, enche-me de Deus, põe o Céu em meu coração, e faz de mim uma pessoa inteiramente nova, cheia da tua vida, cheia de coragem e de salvação. Vem, Senhor, fica comigo, toma todo o meu ser e nunca mais deixes de morar em mim. (Agora, ore espontaneamente, como o Senhor te inspirar ou cante uma canção. Se não se lembrar de nenhuma, invente você mesmo sua canção para o Senhor).

Amém!

Senhor, tem misericórdia de mim!

Rasgai vossos corações, não as roupas!
Voltai para o Senhor vosso Deus,
pois ele é bom e cheio de misericórdia!
É manso na ira, cheio de carinho e retira a ameaça.
Quem sabe ele volta atrás, tem compaixão
e deixa para nós uma bênção!
(Jl 2,13-14a)

Há uma promessa nesta palavra: "o Senhor afastará a ameaça, afastará a maldição; ele terá compaixão e dará a bênção se rasgarmos diante dele o nosso coração". 'Rasgai vossos corações' significa confessar e assumir nossos vícios e nossas fraquezas para que Deus tenha piedade e nos cure.

Arrepender-me é assumir a responsabilidade por todas as coisas más que eu fiz, é purificar a minha alma e me preparar para receber a bênção. Somente quem se abre pode fazer a experiência da bondade de Deus.

Deus é bom e vai perdoá-lo se você quiser. Como assim "se você quiser"? Quando uma pessoa não admite os próprios erros e fica sempre se justificando, ela se endurece, seu coração empedra, e isso é mau.

Quando noto que algo semelhante está acontecendo comigo, costumo me fazer duas perguntas:

a) Qual dos meus comportamentos merece ser reprovado?
b) Eu aceito ser corrigido?

Não tenha medo de descobrir se isso também acontece com você. Peça a Deus que lhe revele em que você precisa mudar, pois nada pode tornar o coração de uma pessoa mais leve, cheio de perdão e bondade, do que assumir que também falha, peca e tem culpa. Por outro lado, nada pode tornar um indivíduo mais duro e cruel do que o desejo de estar sempre certo.

Fazer o bem não basta para compensar os pecados do passado. Antes, é preciso reconhecê-los e confessá-los.

Numa comparação: por mais que a lua brilhe, não poderá iluminar a Terra se o céu estiver coberto por pesadas nuvens. De modo que é preciso primeiro dissipar as nuvens do pecado e lavar suas nódoas com as lágrimas do arrependimento. É preciso voltar a Deus de todo o coração, sem máscaras, sem nuvens de pecado. Mais do que rasgar as nuvens do céu é preciso rasgar as nuvens da alma para deixar passar a luz de Deus. Rasgar o coração significa pôr tudo diante de Deus.

O Senhor é bom! Ele terá misericórdia. Ele vai ajudar você.

Deus é manso, mesmo na ira, cheio de carinho; Ele vai afastar a maldição que nos ameaça. Ele vem trazendo a bênção – a graça, a força. Ele vem trazendo a salvação a quem reconhece que precisa, a quem está disposto a recomeçar, deixando o pecado para trás, a quem abandona a falsa perfeição chamada hipocrisia (hipocrisia é exigir do outro aquilo que a gente não faz). Deus nunca deixa de perdoar e abençoar quem se aproxima dele de todo o coração.

ORAÇÃO DE ARREPENDIMENTO E CONVERSÃO A DEUS

Meu Senhor e meu Deus, na medida infinita da tua bondade, tem compaixão de mim. Por misericórdia cancela o meu pecado. No teu amor de Pai, perdoa a minha culpa e me liberta do mal que eu pratiquei. Eu reconheço que pequei por minhas palavras, meus atos e também por omissão. Prostrado em tua presença, eu suplico com toda a minha alma: dá-me a graça de um coração profundamente arrependido. O Senhor sabe tudo. Nada te é oculto.

Entra no meu íntimo, meu Deus, e me revela onde foi que eu deixei de contar contigo e me tornei resistente ao teu amor. Senhor, eu fui negligente, pequei e fracassei. Perdão por ter te abandonado e me afastado de ti. Perdoa-me, meu Deus, por todas as vezes que eu agi sem nenhuma confiança em ti, apenas movido pelos meus interesses egoístas. Perdão por viver atormentado pelo medo em vez de confiar que teu amor cuida de mim.

Ponho aos teus pés os meus pecados, Senhor Jesus (procure lembrar e relatar suas faltas ao Senhor). Confesso minhas falhas. Confesso que cedi e permiti que esses pecados me dominassem. Eu me arrependo do fundo de minha alma por isso. Mas, agora eu te imploro, pois eu não aguento mais esse fardo sobre mim: liberta-me, pelo poder de teu santo sangue redentor.

Peço-te que me perdoes por todos os pecados que cometi contra mim mesmo; pelo desamor, pela baixa estima de mim mesmo, pela falta de cuidado com a minha saúde e o meu descanso, pelo desrespeito, desequilíbrios e abusos sexuais contra mim mesmo, pelo excesso no comer e no beber. Senhor, eu rompo agora com todas essas atitudes e hábitos. Perdão e misericórdia, Senhor!

Meu Deus, perdoe-me pelos pecados que cometi dentro da minha própria casa, ódios, ressentimentos, torturas emocionais, tristezas, decepções, intrigas, aborto. Perdão por todas as vezes em que fui motivo de aflição e desânimo para quem estava mais perto de mim. Pelas vezes em que fui injusto e me tornei culpado. Quero me converter de meus atos pecaminosos. Quero me afastar de toda e qualquer ocasião que possa me levar a cair em pecado.

Eu me arrependo das vezes em que magoei aqueles que conviviam comigo. Peço-te perdão pelas fofocas, calúnias, difamações, mentiras, críticas destrutivas, piadas cruéis, chantagens, pelos modos diversos através dos quais prejudiquei meu semelhante. (Aproveite este momento e ore espontaneamente, pedindo a Deus que revele do que mais pedir perdão).

Deposito também em tuas mãos não só os meus pecados, mas tudo aquilo que ainda não está bem e necessita da tua intervenção. Entra com tua luz nas áreas escuras da minha vida, aquelas mais destruídas e vergonhosas, aquelas que não tenho coragem de mostrar a mais ninguém. Atinge com tua misericórdia as minhas misérias emocionais, os meus distúrbios, meus vícios de comportamento e traumas. (Reze espontaneamente pedindo que

Deus lhe mostre as áreas carentes de cura e salvação).

Retiro tudo isso das sombras onde o escondi para depositar sob a luz do teu amor. Sei que podes me curar. Sei que podes me consertar. Sei que já estás fazendo isso por mim.

Senhor Jesus, eu renuncio a tudo o que me impede de estar unido a ti; renuncio a estes pecados e renuncio à Satanás que me atraiu e instigou a cometê-los. Quero detestar tudo o que te desagrada e não mais me deixar enganar pelas sugestões diabólicas.

A minha confiança está no Sangue de Jesus que me redimiu de todo mal e me libertou das forças opressoras do inferno. Eu me cubro com este santo sangue para me blindar contra as investidas do demônio que quer me afastar de Deus e me arruinar.

Senhor Jesus, eu te entrego meu coração e com ele o meu desejo de não mais pecar. Contigo eu conseguirei me manter fiel a este propósito.

Ajuda-me, Senhor. Porque sei que me perdoas, eu aceito o teu perdão. Glórias e louvores a ti, Senhor!

Amém!

Senhor, cura-me!

Enquanto estavam a caminho aconteceu que ficaram curados. (Lc 17,14)

Onde Jesus procurava conhecer os planos de Deus pra sua vida? Onde ele buscava curar as feridas de seu coração? Na oração. Os cristãos dos primeiros séculos sabiam que a oração é fonte de cura e recorriam à espiritualidade para entender o que estava acontecendo em sua alma. Ao orar, buscavam a cura das feridas emocionais que hoje tentamos solucionar com tratamentos mentais e comportamentais.

Na oração, a pessoa não se encontra somente com Deus, mas também consigo mesma e começa a se entender melhor. Na oração, retira-se as carapaças de violência e negação com que protegíamos nossas feridas para que Deus possa sará-las. A oração é uma mina inesgotável de cura; e, por meio dela, aquele que reza se desenvolve e amadurece. O tipo de realização que se consegue por meio da oração perseverante leva infalivelmente a um tipo de felicidade que não se abala com os reveses da vida.

Mas, veja bem! Há aqui um segredo: a oração só é capaz de tornar alguém feliz quando o primeiro objetivo dessa pessoa não é obter uma graça, mas encontrar a Deus. Quando se está cheio do Espírito Santo, felicidade é consequência.

Na maioria das vezes, são dois os obstáculos que impedem de experimentar a cura. O primeiro é a obstinação em não perdoar quem nos feriu (cf. Eclo 28,3). O segundo é não confiar que Deus pode e quer nos curar.

Para que possamos compreender a importância da fé para o nosso processo de cura, São Lucas narra o que acontece a esses dez homens que padeciam com a lepra:

> Caminhando para Jerusalém, Jesus passava entre a Samaria e a Galileia. Estava para entrar em um povoado, quando dez leprosos vieram ao seu encontro. Pararam a certa distância e gritaram: "Jesus, Mestre, tem compaixão de nós!" Ao vê-los, Jesus disse: "Ide apresentar-vos aos sacerdotes". Enquanto estavam a caminho, aconteceu que ficaram curados. Um deles, ao perceber que estava curado, voltou glorificando a Deus em alta voz; prostrou-se aos pés de Jesus e lhe agradeceu. E este era um samaritano. Então, Jesus perguntou: *"Não foram dez os curados? E os outros nove, onde estão? Não houve*

quem voltasse para dar glória a Deus a não ser este estrangeiro?" E disse-lhe: *"Levanta-te e vai! Tua fé te salvou"* (Lc, 17, 11-19).

Diante do pedido aflito de dez pessoas enfermas, Jesus responde como que dizendo: *"Vão... que tudo vai dar certo."* Vale lembrar que o ex-leproso só deveria apresentar-se ao sacerdote depois de curado, para a constatação da cura. Os dez tiveram que ir na fé, sem nenhuma evidência de terem sido atendidos. Pegaram a estrada carregando a própria lepra.

"Vão andando!"

Imagine! Você pede a cura a Jesus, e Ele responde: *"Vai andando"*.

É a caminho que somos curados – quando fazemos o que Deus nos manda, e o obedecemos de maneira única, particular. Ou seja, há coisas que Deus nos pede e que ninguém pode fazer em nosso lugar. Cada um dos dez teve que trilhar o seu caminho na fé, apoiados simplesmente na confiança de uma promessa. Mil coisas devem ter passado na cabeça de cada um deles, medos, dúvidas, desejo de não prosseguir; mas isso não importa, pois a fé se manifesta na obediência. Foi porque obedeceram que receberam.

No entanto, a cura só se completa quando voltamos para Deus os dons que Dele recebemos. Olha que coisa espantosa expressa por esses versículos: na matemática do Senhor, a cada dez agraciados somente um volta para agradecer a Deus os dons, as graças, os favores que recebeu.

Esse relato qualifica as pessoas em dois grupos. Em qual deles você está? No grupo daqueles que se esquecem? Ou no grupo daquele que volta para agradecer? Às vezes, a gente fica tão encantado com o que recebe que se esquece de quem deu.

Dez receberam a cura, mas só um a salvação: "(...) a tua fé te salvou". Quem se volta para Deus acaba por alcançar sempre mais. Os dez tiveram fé suficiente para receber uma graça: a cura do corpo. Mas, houve um cuja fé alcançou a cura mais significante, a do coração.

De qualquer forma, veja a importância de acreditar e obedecer à Palavra de Deus. Pela fé, foram curados. Pela fé, um recebeu a salvação. Crer é confiar, depender e obedecer ao Senhor. Essa palavra também nos revela que a gratidão leva a pessoa a um nível mais excelente de fé. E a verdadeira gratidão nos faz voltar a Deus, dar glória ao Senhor, pôr nossos dons a serviço Dele, e nos alcança graças ainda maiores.

Saber receber o que Deus nos dá, com respeito e alegria, mesmo quando nada temos para oferecer, é a maior das retribuições. Quantas bênçãos nos cercam todos os dias: o dom da vida, nossa saúde, o ar que respiramos, alguém que amamos, alguém que nos ama, o sol que ilumina nossos passos e aquece o nosso frio, a florzinha que desabrocha e perfuma nosso caminho, e tantas coisas mais.

Sabe qual é a matemática mais difícil de ser aprendida? É aquela que nos capacita a contar nossas bênçãos.

Mais uma vez, confie em Deus. Quando uma pessoa insiste em pedir sua cura interior, quando ela persevera em pedir a vida eterna, Deus sempre a escuta; pois pede exatamente o que Ele quer lhe dar. Se ela ainda não recebeu, pode ficar tranquila que a questão é só de tempo – pois não há dúvidas de que ela vai receber esta graça.

Ore comigo nos próximos minutos pedindo ao Senhor que cure seu coração. Um antigo e sábio ditado ensina: "Quando for orar; começa perdoando". Vamos nos esvaziar de tudo o que possa nos manter afastados de Deus e rezar.

Oração de cura interior por meio do perdão

Senhor Jesus, venho a ti com minhas dores e feridas, pois tua Palavra me anima quando diz: "ao que está perdido, eu o procurarei; o desgarrado, eu o reconduzirei; o ferido, eu o curarei; o doente, eu o restabelecerei, e cuidarei do que estiver saudável e vigoroso" (cf. Ez 34,16).

Reconheço que trago em mim ressentimentos, lembranças dolorosas, traumas e feridas das quais sozinho não tenho conseguido me recuperar. Trago a ti minhas feridas e também os estragos emocionais que sofri ou que causei. E quero perdoar todas as pessoas, absolutamente todas, que, consciente ou inconscientemente, de algum modo me prejudicaram, fizeram-me sofrer, e atrapalharam o meu desenvolvimento, meus planos, meu futuro.

Senhor Jesus, dá-me coragem e força para isso. Eu reconheço que necessito me libertar e me reconciliar comigo mesmo. Em teu nome, eu me perdoo por não ser tudo o que eu gostaria de ser, por ser fraco e limitado. Perdoo-me por ter me deixado enganar e ser usado por outras pessoas, por ter perdido oportunidades importantes que teriam mudado a minha vida pra melhor. Perdoo-me por estragar, com meu temperamento difícil, relacionamentos que eram tão bons. Eu me perdoo pelos meus fracassos, por não ser infalível como eu gostaria de ser, por não conseguir conquistar e manter o amor das pessoas por mim.

Eu me perdoo, em nome de Jesus, por estragar a minha saúde com nervosismos exagerados, por alimentar vícios tão destrutivos, e hoje, com a tua graça, faço as pazes comigo e tomo a decisão de cuidar melhor de mim mesmo.

Eu renuncio a todo negativismo e pessimismo, a toda crítica destrutiva que faço a mim mesmo. Eu tomo agora a decisão de não mais ficar me colocando para baixo com pensamentos que só me acusam e condenam para me desanimar. Eu me aceito como sou e do jeito que estou, porque é exatamente assim que Deus me ama e me acolhe.

Senhor Jesus, eu perdoo minha mãe pelas vezes que ela errou comigo; perdoo-a pelos momentos em que foi injusta ou me rejeitou. Perdoo-a pelas vezes que ela não me ouviu, não me compreendeu, e me agrediu com palavras ou mesmo fisicamente. Perdoo pelas palavras duras, pelas comparações, por todas as atitudes que me fizeram duvidar do seu amor e me causaram tristeza.

Quero perdoar especialmente a seguinte situação _____.

Eu declaro que, hoje, aos pés da tua cruz, eu perdoo a minha mãe e retiro todas as acusações que fiz pesar contra ela. (Esteja sua mãe vivo ou morta, diga a Jesus que no que depender de você sua mãe está liberta).

Senhor Jesus, eu perdoo meu pai pelas vezes que errou comigo; perdoo-o pelos momentos em que foi injusto, ausente, frio ou me rejeitou. Perdoo-o pelas vezes que ele não me ouviu, não me compreendeu, e me agrediu com palavras ou mesmo fisicamente. Perdoo por sua dureza, pelas comparações, por todas as atitudes que me fizeram duvidar do seu amor e me causaram tristeza.

Quero perdoar especialmente a seguinte situação _____.

Eu declaro que, hoje, aos pés da tua cruz, eu perdoo o meu pai e retiro todas as acusações que fiz pesar contra ele. (Esteja seu pai vivo ou morto, diga a Jesus que no que depender de você seu pai está liberto).

Divino Espírito Santo, vem em meu auxílio e me ajuda a lembrar de quem eu preciso perdoar e quais são as situações dolorosas guardadas no mais íntimo de mim em que eu preciso liberar perdão e receber cura. (Eu perdoo meu(minha) irmão(ã)por _____ e o (a) liberto. / Eu perdoo meu(minha) marido(mulher) por _____. / Eu perdoo meu(minha) filho(filha) por _____ . / *Eu perdoo (avós, tios, primos, namorados, amigos, vizinhos, professores, colegas de trabalho, chefes, etc) por todo e qualquer mal que tenham feito contra mim e me recuso a viver a minha vida condicionado por essas mágoas. (Agora, peça ao Pai do Céu a graça de perdoar aquela pessoa que mais lhe causou sofrimento, aquela que mais prejudicou você e por essa razão você tem mais dificuldade em perdoá--la – mesmo que ainda se sinta triste, magoado e com raiva, perdoe. Tire essa doença de dentro de você. Deus o ajudará).*

Oração de Cura

Senhor, cura o meu coração, eu suplico, pois já não aguento mais levar uma vida tão amarrada e atrapalhada mesmo sabendo que o Senhor já garantiu minha libertação. Cura minhas feridas interiores, alivia minha dor e lava toda mágoa com teu Santo Sangue. Eu sei que Tu me escutas, que sondas bem no fundo o meu coração e me conheces como ninguém mais.

Senhor, teu Espírito Santo está em mim com todo o teu poder salvador e eu estou em teus braços cheios de misericórdia. Põe tuas mãos chagadas sobre este meu coração tão carregado de cicatrizes e feridas ain-

da abertas, sobre este coração marcado por lembranças sofridas e mutilado pelas violências do desamor, e cura-me. Olha para o meu vigor abatido pela tristeza e pela decepção. Põe tuas mãos sobre o meu corpo doente e arranca-me de toda depressão. (Peça a Deus que cure você de qualquer desequilíbrio nervoso, afetivo e sexual, das lembranças amarguradas, ressentimentos, mágoas, das dores causadas pelas fofocas e calúnias. Peça que cure os sentimentos de desânimo, tristeza, solidão, medo, rejeição, complexo de inferioridade, manias de comparação e ansiedade. Peça também, com suas palavras, que o Espírito Santo o cure de todo sentimento de morte, de revolta, e o liberte de qualquer pensamento de violência contra si mesmo).

Tu podes tudo, Senhor. Podes me curar. Podes me dar força para vencer essa enfermidade que tanto tem me desgastado.

Meu Deus, eu tenho plena convicção de que Tu não gostas de me ver sofrer. Suplico-te que neste meu processo de cura, tu me dês a força e a coragem para superar os momentos de dor e de cansaço. Jamais me deixes desesperar. Nesta caminhada de cura, faz de mim uma pessoa melhor, mais paciente, mais compreensiva, mais amorosa, mais simples e mais digna.

Confio em ti, Jesus! Na certeza de que estás cuidando de mim, entrego-te as minhas preocupações, angústias e sofrimentos.

Meu Deus amado, obrigado por trazer alívio e paz ao meu coração. Obrigado por me envolver no teu amor, no teu poder e no teu Sangue para que o mal não tenha nenhum poder sobre mim.

Ó Senhor, como tu és bom! Muito obrigado!
Amém!

Senhor, eu preciso de ajuda

Jesus contou aos discípulos uma parábola, para mostrar-lhes a necessidade de orar sempre, sem nunca desistir.

(Lc 18, 1)

Ao estudar as Escrituras acabei descobrindo que Deus tem um lugar especial em seu coração, onde Ele guarda certas coisas. São coisas que lhe foram pedidas em oração e, por algum motivo, que só Ele conhece, ainda não puderam ser entregues.

É difícil entender e aceitar que Deus não atenda de imediato as nossas urgências. Lembro-me, com pena, de uma senhora que me confidenciou ter deixado a Igreja Católica para entrar em uma nova igreja e dizia: "Lá nós não pedimos mais nada a Deus, em vez disso, com autoridade, determinamos e exigimos que Deus nos obedeça". Não acredito que Deus fique chateado com isso. Penso, inclusive, que Ele deve achar engraçado (cf. Sl 2,4) aquele monte de gente imperando, vociferando e dando ordens pra Ele.

Para nos atender, Deus não se guia pelos nossos critérios. Ele não se curva aos nossos caprichos, não se assusta com nossos gritos nem se intimida com nossas chantagens emocionais. O que comove a Deus é que apesar de tudo continuemos esperando sem arredar o pé e sem perder a confiança. Pediu? Agora, confie e espere.

Às vezes, demoramos um bom tempo para entender que demora não significa negação, recusa. Demora também pode ser misericórdia. Isaías relata que Deus anseia pela hora de agir em nossa defesa, mas enquanto também ele espera, não nos deixa desprotegidos:

> Em vista disso, o Senhor espera a hora de vos perdoar. Ele toma a iniciativa de mostrar-vos compaixão, pois o Senhor é um Deus justo – felizes os que nele esperam! Sim, povo de Sião, cidadão de Jerusalém, não deves chorar tanto, ele vai se interessar pelo clamor da tua súplica. Basta ouvir, e ele responde. O Senhor vos dará, sim, pão de crise, água racionada, mas, depois, teu Mestre não se esconderá mais, teus próprios olhos hão de ver aquele que te ensina. Sempre que estiveres para te desviar para um lado ou para outro, poderás ouvir atrás de ti a palavra de quem te orienta: "O caminho é este, por aqui deves andar!" (Is 30,18-21).

Para quem confia em Deus, nenhuma espera é por acaso. Há propósitos nessa demora sofrida. Há muitas surpresas cheias de amor e sabedoria que Deus preparou para aqueles que aprendem a aguardar com fé.

Sofremos continuamente a tentação de apanhar ainda verdes os frutos da misericórdia de Deus. Queremos colher sua bondade antes da hora. Mas Deus quer que esperemos até o tempo certo em que o fruto esteja maduro. É por essa razão que "*o Senhor espera para ter misericórdia de vós...*" (Is 30, 18).

Deus está acompanhando atentamente nossos momentos difíceis, está temperando a chama das nossas tribulações para que não queime demais. Ele está vigiando para não termos de passar por nenhuma provação além do que somos capazes de aguentar.

Sabemos que Ele não nos poupará de atravessar "o racionamento e a crise" (Is 30, 20) que vão nos purificar e nos libertar dos nossos apegos, vícios e ilusões. Mas, logo em seguida Ele virá em nossa ajuda e veremos com os próprios olhos Ele atuar em nosso favor. Não lhe cause esse desgosto de duvidar de seu amor por você.

Retome a sua coragem e vamos enfrentar o dia de hoje com confiança, pois a ajuda de que precisamos já está a caminho. Ela virá e não tardará. O socorro de Deus não chega antes nem depois da hora, mas no momento certo, no tempo propício.

Talvez você seja testado e tenha que comer o "pão da crise" e beber da "água racionada". Mas há aqui também a garantia de que na crise haverá pão e no racionamento haverá água. O necessário Deus dará e não deixará faltar. Agora, o melhor é que depois de tudo isso, Deus se revelará a você. E Ele mesmo o guiará. Aliás, Deus usa da crise para nos ajudar a reconhecê-lo e nos educar para ouvi-lo.

Deus ouvirá a nossa oração, mas talvez Ele não responda dentro do prazo que estipulamos. Sem dúvida, Ele se revelará ao nosso coração que o busca, mas não exatamente no momento determinado pelas nossas expectativas. Daí a necessidade de perseverança, insistência e súplica.

Na época em que para conseguir fogo era preciso riscar uma pedra na outra, você tinha que atritá-las inúmeras vezes; não era fácil. Mas quando o fogo pegava, que alegria! A gente insiste em coisas tão menos importantes, e não vamos insistir nas coisas de

Deus? Peça com fé; mas não deixe de pedir porque Deus está demorando pra responder. Insista. Risque as pedras da oração mais uma vez. Faça saltarem as faíscas. Faça explodirem as chamas. Prepare-se porque o fogo vai pegar e não vai demorar.

Quanto mais conheço as escrituras, mais cresce em mim uma certeza: não há uma só oração perseverante feita com amor e em espírito de fé que fique sem resposta. Veja bem: precisa brotar do amor e precisa ser feita com fé.

Reze comigo mais uns minutinhos.

Oração de clamor suplicante

Senhor, vem em meu auxílio. Ajuda-me, meu Deus, a tirar de mim o egoísmo, o orgulho, a fraqueza de vontade, a desmotivação. Sinto vergonha por nesta altura da vida ser tão imaturo. O que me consola é saber que muitos homens e mulheres bons, justos e santos tinham no passado exatamente os mesmos defeitos que eu. Conseguiram se libertar porque recorreram a ti com humildade, insistiram e não desistiram até que o Senhor os ajudasse. Faz por mim o que fizeste por eles, Senhor.

Ponho em tuas mãos a minha saúde (se você estiver com alguma enfermidade ou sentindo alguma dor fale com Jesus. Peça a sua cura. Peça que fortaleça a sua saúde e que não o deixe adoecer).

Coloco mais uma vez em tuas mãos todos os meus projetos e todos os meus trabalhos assim como os meus estudos; faz com que deem certo, sejam bem-sucedidos e produzam bons resultados, Senhor. Sei que o Senhor me ouve e quer me atender. Tu podes me dar qualquer coisa e sei que me darás se isso for para o meu bem.

Atende-me! Ajuda-me! Concede-me esta graça, eu te suplico. (Diga a Jesus do que você precisa neste dia _____ Conte-lhe o que Ele pode fazer por você _____O que você espera do Senhor? Diga-lhe).

Eu te suplico por minhas preocupações, pelos pensamentos que me perturbam, pelos meus sentimentos agitados e por tudo o que se avoluma dentro de mim tornando pesado o meu coração. (Ouça Jesus falando ao seu coração, conversando com você e pedindo-lhe: "Abre-te comigo. Diga-me o que é que te pesa. O que te preocupa? Eu estou contigo para te ajudar. Então, revela-me os desejos do teu coração. Mostra-me o que vai em tua alma e o que posso fazer por ti e por aqueles que tu amas. Diga-me o nome das pessoas que te preocupam. Fale-me sobre aquelas que tu queres que eu, de modo especial, as ajude.

Reza pelos de tua casa. Eu os protegerei e abençoarei. Reza por teus amigos e colegas. Diga-me como gostarias que eu os ajudasse).

Jesus, põe tuas mãos sobre a minha cabeça e sobre o meu coração. Tenho tantas coisas pra fazer que nem sei por onde começar. Mostra-me qual o próximo passo que devo dar em acordo com a tua vontade. Quero muito fazer o que é certo, bom, útil e agradável a ti. Eu te apresento especialmente esta situação _____, que parece não se resolver. Revela-me, Senhor, por que não estou conseguindo encontrar uma solução para este problema. (Diga a Jesus o que você mais deseja realizar. Conte-lhe como você pensa fazer isso. Peça que Ele lhe mostre os obstáculos que o estão impedindo e lhe dê forças e meios para superá-los. Certas graças, Deus só as dá a quem pede).

Entra com a tua luz restauradora em meu coração, cura-me, fortalece-me e me reconstrói, Senhor Jesus. Todos os dias experimento pequenas e grandes alegrias, mas com frequência sofro também mágoas e fico triste. Lava-me das lembranças dessa ofensa que sofri. Entrego-te a dor desta minha ferida. Tu a curarás.

Entrego-te essa pessoa que me feriu _____. (Diga o nome desta pessoa para o Senhor). (Debulhe suas tristezas aos pés de Jesus. Chore se for preciso. Fale detalhadamente para o Senhor tudo o que está amargurando sua alma. Conte-lhe quem feriu você, diga-lhe quem o desrespeitou e humilhou. Se alguém o desprezou, conte tudo ao Senhor e não guarde mais nenhuma decepção dentro de seu coração).

Com o consolo do teu Espírito, quero perdoar tudo e esquecer qualquer coisa feita para me magoar ou prejudicar. Desejo no mais íntimo de mim aquela tua benção com a qual recompensas aqueles que se determinam a perdoar.

Senhor, peço que ajudes esta pessoa

Vendo a fé que eles tinham, Jesus disse ao paralítico: "Filho, os teus pecados são perdoados".

(Mc 2,5)

Onde a Palavra de Deus é acolhida em clima de fé e oração o milagre sempre se torna possível. São Marcos fala de quatro homens, quatro intercessores, que acreditaram na Palavra de Jesus e trouxeram-lhe seu amigo paralítico para que o Senhor o curasse.

Se os obstáculos eram grandes para a cura deste homem, o amor de seus quatro amigos por ele era ainda maior. Tanto estavam dispostos a fazer tudo pelo bem de seu amigo que Jesus ficou admirado e se comoveu com o que viu. O Senhor os atendeu não por causa de suas muitas palavras, uma vez que eles nada disseram, e sim por sua grande confiança e esperança no poder do Salvador.

Quando os intercessores não falham em fazer a sua parte, Jesus é que não falhará em cumprir com a dele. Interceder é levar quem amamos à presença do Senhor para que ali receba o perdão e encontre a cura. No momento em que damos o passo na fé de confiar sem restrições em Jesus, ainda que a situação se apresente sem saída e a resolução se revele impossível, o Senhor toma aquela causa em suas mãos e manifesta o seu poder salvador.

Se você conhece alguém que precisa urgentemente da ajuda de Deus, aproxime-se dessa pessoa, dê-lhe o seu amor e leve-a até Jesus em oração. É tão importante interceder uns pelos outros que Nosso Senhor deu a Maria Madalena de Pazzi a seguinte revelação: *"Vede, minha filha, como caem os cristãos nas mãos do demônio; se os meus escolhidos não os livrassem por suas orações, seriam tragados por ele"*.

Neste momento, peça ao Espírito Santo: *"Mostra-me, Senhor, as pessoas e os nomes pelos quais devo interceder"*. Você perceberá que, no decorrer de todo o seu dia, recordações de fatos, nomes de pessoas e rostos familiares surgirão em seus pensamentos. É Deus a responder sua oração e a treiná-lo na intercessão.

Apresente cada uma dessas pessoas ao Senhor. Interceda em favor delas. Clame ao Espírito Santo que as socorra, que as preserve do perigo e que as ajude onde quer que se encontrem. Peça que o Senhor resgate aquelas que se desencaminharam, que as perdoe de seus pecados, que as liberte do maligno e as santifique.

Diga-lhe: "Envolva, Jesus, esta pessoa em teu abraço de amor e mostra-lhe hoje o teu poder salvador". Reze com tranquilidade e confiança. Fale dessa pessoa a Jesus, como um amigo conversa com o outro. Faça perguntas, conte suas dúvidas, dê sugestões e, sobretudo, apresente suas súplicas. Interceda por seus pais, por seu cônjuge, por seus filhos, parentes, amigos.

Clame: "Pai amado, em nome de Jesus, pelo poder do Espírito Santo, cumpra hoje os teus planos na vida de_____" (Dizer o nome da pessoa). Fique seguro de que Deus o ouvirá. Ele sempre ouve quando oramos em favor de alguém. Que tal criarmos agora um grande movimento de oração intercedendo por aqueles que, como você, estão seguindo os passos deste livro? Peça que o Senhor atenda a oração desses seus irmãos.

Se um rezar por todos, todos rezarão por este um. Ou seja, milhares e milhares de pessoas estarão pedindo a Deus por você. Rezemos uns minutinhos por aqueles que o Espírito Santo nos recordar:

Oração intercessora

Pai Amado, em nome de Jesus, eu peço que o Senhor visite e batize no Espírito Santo o coração de _____ (nome da pessoa) e envolva todas as situações que este teu(tua) filho(a) está enfrentando. Dá-lhe, Senhor, o consolo da tua presença. Esta pessoa precisa da tua força e da tua luz, meu Deus. Ajude-a. Põe tua mão sobre as feridas emocionais que tanto a desgastam e a fazem sofrer e conceda-lhe a cura da alma, a cura do coração e a cura interior.

O Senhor conhece o íntimo deste irmão muito melhor do que ele mesmo se conhece. O Senhor tem as respostas para seus problemas, dúvidas e dores. O Senhor sabe como aliviá-lo pelas perdas que ele já sofreu. Derrama, Senhor, o bálsamo do teu amor em sua alma e inunda com ele todos os espaços escuros, frios e vazios de seu coração.

De todas as cadeias que o prendem, liberte-o, Pai amado, em nome de Jesus! Do espírito maligno, defende-o. Arranca-o deste vício, mau hábito ou mania. Dissolve e aniquila no fogo do Espírito Santo todo e qualquer voto secreto que ele tenha feito contra si mesmo ou contra alguém comprometendo assim a sua salvação.

De todo o mal que o acompanha por causa de ódios,

mentiras, envolvimentos com o ocultismo, objetos supersticiosos, liberta-o, Senhor! Eu clamo o sangue de Jesus, sobre todas essas áreas e circunstâncias de sua vida. O mal não pode e não vai prevalecer. Sobre este seu filho, o sangue de Cristo pode mais.

Mostra-lhe, Senhor, como tu o amas, como ele é importante para ti, como ele é querido e defendido constantemente por ti e por teus anjos. Não permita que a tristeza penetre em seu coração por meio dos sentimentos de rejeição, desamparo, solidão ou desgosto por si mesmo. Expulsa de sua vida o espírito de desvalorização e baixa estima de si mesmo.

(Pergunte ao Espírito Santo: "Senhor, do que mais este meu irmão ou está minha irmã necessita?" Assim que a resposta vier à sua mente, ore ao Senhor e diga-lhe: "Concede-lhe, ó Deus, esta graça").

Pai, em nome do Senhor Jesus, como aqueles quatro homens colocaram seu amigo entrevado aos pés de Jesus, também eu ponho inteiramente aos teus pés o _____ (Nome da pessoa) e consagro ao Senhor sua mente, emoções, sentimentos e o seu físico. Guarda-o de todo o mal e restaura-o completamente em seu amor.

Obrigado, meu Deus! Glória ao Pai, ao Filho e ao Es-

pírito Santo! Como era no princípio, agora e sempre! Amém!

Senhor, o que queres que eu faça?
Procurai o Senhor enquanto é possível encontrá-lo chamai por ele, agora que está perto

(Is 55,6)

O segredo para uma vida mais segura e decidida é descobrir o que Deus quer de nós em tudo o que fazemos. O Senhor deseja sempre nos revelar sua vontade, mas quer ainda mais que a busquemos com perseverança. Peça-lhe constantemente: "Senhor, ensina-me a te escutar".

Algumas vezes, Ele nos revela seus planos durante a oração; outras, Ele se vale de pessoas para falar conosco. De um jeito ou de outro, o Senhor está sempre a nos orientar. Somos nós que temos dificuldades para ouvi-lo.

Muitos erros seriam evitados se educássemos melhor os ouvidos do coração para captar o que Deus está a nos dizer. Talvez você pergunte: "Mas, como? De que modo é possível ouvir a Deus?" Comece procurando escutar mais; dedicando-se a prestar mais atenção nas pessoas e acontecimentos que chegam até você. Para isso, evite os falatórios. Responda com simplicidade quando alguém o questionar, principalmente no que se refere às coisas delicadas da vida e a Deus. Quando pedirem que você se posicione sobre alguma questão importante e você não souber o que dizer, então, peça um tempo pra pensar. Depois, encontre um lugar tranquilo, sem distrações, e consulte a Deus em oração. Simplesmente, ouça a voz do Senhor dentro de você. A resposta virá.

Há pessoas que não conseguem admitir que não sabem tudo. Não querem reconhecer que não detêm todas as respostas. Em vez disso, começam a especular, a discutir e a brigar, pelo simples prazer de ficar se exibindo e "batendo boca". Fuja disso.

Essas coisas só nos dissipam, causam alvoroço, desviam da verdade e nos atrapalham a distinguir a voz de Deus. Escute mais e fale menos. Deus aproveitará essa sua atitude para conduzi-lo e firmá-lo no caminho certo. Não tenha receio de ouvir as pessoas, pois há certas coisas que só conseguimos enxergar por meio dos olhos dos outros. E Deus aproveita isso para nos ajudar.

A gente aprende muitas coisas com as pessoas sábias, a gente aprende muito com os amigos. E como nós aprendemos com os nossos filhos! É muito triste alguém que pensa não ter nada a aprender com os outros, sobretudo com os de sua casa.

Quando você encontrar uma pessoa de bem, orante, instruída e sábia, pense: "O que devo fazer para me tornar como esse homem ou como essa mulher?". Quando você topar com uma pessoa perdida, desperdiçando o próprio tempo e energia, agindo mal, fazendo o mal; pense: "Meu Deus, será que eu também me comporto assim?". E procure com a força do Espírito Santo se tornar um ser humano melhor.

O amor puro não está no que você fala; mas no que você faz. E só o amor pode nos levar ao encontro de Deus, fazer-nos entender o que Ele quer para nós e nos tornar sábios. Portanto, quando você estiver com as pessoas, não se esqueça do que Deus lhe inspirou em oração. E quando você estiver em oração não se esqueça do que Deus falou com você por meio das pessoas. Sempre e em todo lugar procure ouvir o que o Espírito Santo está a lhe dizer. Você está perdido, confuso, ou inseguro em suas decisões? Reze. Recorra ao Senhor que perdoa nossos desvios e nos leva por caminhos melhores.

Diga-lhe: "Fala comigo, Senhor! Preciso ouvir a

tua voz. O que queres de mim? O que devo fazer neste dia para agradar-te? No que devo melhorar já agora? Em que devo me corrigir? Que iniciativas devo ter?".

Você também pode pedir, com fé e reverência, que o Senhor dê uma palavra da Escritura que lhe sirva de apoio, confirmação e encorajamento. Em seguida, abra a Bíblia aleatoriamente. É provável que um versículo ou um trecho daquela página lhe chame mais a atenção. Faça uma leitura orante e procure discernir no que essa passagem da Escritura tem a ver com o que Deus já lhe havia inspirado.

Grave as direções, revelações, ensinamentos, ordens e promessas de Deus neste tempo de oração. Anote-as, e retome-as em outros momentos até que seu coração lhe assegure que elas já cumpriram a sua missão.

Aproveite para fazer uma revisão de consciência e pedir perdão pelos erros e pecados do dia presente ou do dia anterior. Em seguida, assuma com Deus o propósito de consertar os erros, reparar os pecados, retomar as boas inspirações e iniciativas que foram deixadas para trás. Pergunte ao Senhor: "Meu Deus, qual é a boa obra que o Senhor já re-

servou de antemão para que eu a praticasse hoje?".
À medida que a resposta vier à sua mente, tome posse dela, e se comprometa com Deus a realizá-la ainda naquele dia ou o mais breve possível. Você ingressará em uma atmosfera de amor tão profunda que renovará o seu ânimo, fortalecerá a sua vontade e curará você.

Como as outras orações já vieram preparando seu interior, é possível ouvir a voz de Deus nesses minutos de escuta. Mas se você puder e quiser permanecer quieto e em silêncio na presença de Deus por mais algum tempo, tenha certeza de que valerá cada segundo. Oremos, então:

Oração de escuta a Deus

Abre, Senhor, os ouvidos da minha alma, como fizeste com o profeta Samuel, para que eu saiba distinguir a tua voz e também responder: "Fala, Senhor, que o teu servo ouve."

Não só os ouvidos da mente, mas sobretudo os do coração precisam ser tocados e abertos pelo teu Espírito Santo. Não quero somente entender, quero mais que isso, quero sim compreender tudo o que me dizes.

Pela experiência das feridas não curadas, do egoísmo,

da vaidade, do rancor, fui me fechando em mim mesmo. Fui, assim, atrofiando minha capacidade de escutar com amor e ouvir a tua voz.

Jesus, como pusestes tuas mãos sobre os olhos do cego para que se abrissem, põe tuas mãos chagadas sobre mim para que todo o meu ser seja puro acolhimento ao que me queres revelar.

Estes meus ouvidos sempre mais dispostos a escutar inutilidades e maldades do que a tua Santa Palavra; mais abertos a acolher a ilusão das mentiras do que a verdade; tão resistentes às moções do teu Espírito por estarem mais preocupados em satisfazer seus próprios caprichos – Senhor, são estes ouvidos que precisam ser sarados por ti.

Todo o meu ser anseia por esta unção do teu Espírito Santo – minha mente, meu coração, meu corpo, todos os meus sentidos – tão prisioneiros de si mesmos – aguardam que Tu os libertes.

Senhor, fala comigo! Eu preciso te escutar! Necessito ser conduzido por ti! Estarei inteiramente atento neste momento. Que todo bloqueio, medo, frieza, resistência ou negação à escuta da tua vontade para minha vida sejam envoltas agora no fogo ardente do Espírito de Deus e dissolvidas de uma vez por todas. Que os anjos de Deus

combatam por mim, e que o Santo Espírito abra os mais íntimos recantos do meu ser para que a voz do Senhor e sua Palavra me mergulhem num amor incessante e na alegria de tuas inspirações.
Amém!

Consagro-te minha mente, ó Deus

Transformai-vos, renovando vossa maneira de pensar e julgar para distinguir o que é da vontade de Deus, a saber, o que é bom, o que lhe agrada, o que é perfeito.

(Rm 12,2)

Ao concluir o seu momento de intimidade com o Senhor, é importante não deixar que nada desse tempo precioso se perca. É bom guardá-lo como que num cofre fortificado para que o demônio não o venha saquear como a ave que come a semente que cai à beira do caminho. Podemos fazer isso consagrando nossa mente ao Espírito Santo.

Consagrar significa entregar, confiar, ceder, separar para o uso exclusivo do que é sagrado. É decidir, daqui para frente, não usar mais a nossa mente a não ser para o bem, para conhecer a verdade e para agradar a Deus. Consagração, que deveremos renovar sempre que estivermos concluindo esses 30 minutos na presença do Altíssimo. Se você quiser, poderá rezar a oração que segue.

Oração de consagração da mente a Deus

Senhor Jesus, assim como consagraste tua vida ao Pai, eu também venho agora consagrar-te a minha mente e cada pensamento neste dia. Eu entrego minha mente a ti, eu a confio em tuas mãos, eu a submeto ao teu divino poder. Cedo a ti todas as possibilidades que nela existem e me recuso terminantemente a usá-la a não ser para o que é agradável a ti; ou seja, para o que é bom e santo.

Consagro-te todo meu ser, tudo o que eu tenho e sou. Abandono-me em tuas mãos sem esconder nada (Mais uma vez, coloque sob a luz de Deus, uma a uma, aquelas coisas sofridas, vergonhosas, incômodas, aquelas meias intenções de ceder a uma tentação, ou ainda aqueles projetos particulares que temos receio de que o Espírito Santo os reprove).

Não reservo coisa alguma para mim. Ponho a teu serviço a minha inteligência, a minha memória e a minha imaginação. Tudo é teu. Que estejam ao teu dispor para o bem dos meus irmãos, que trabalhem para gerar amor e sejam fonte de alegria para todos.

Ponho também em tuas mãos os meus fardos e preocupações. Que nada me perturbe ou venha minar minha confiança em ti. Confio-te de antemão os pensamentos que passarão pela minha cabeça, as preocupações com o meu sustento material e espiritual, com minha família e as pessoas que amo. Consagro-te cada pensamento meu neste dia e em cada um deles te entrego o meu passado, o meu presente e o meu futuro.

Senhor, inspira-me aquilo que devo pensar para que possa discernir concretamente a tua vontade para minha vida naquilo que faço. Santifica minhas ideias, lembranças e imaginações. Inspira-me os bons propósitos. Desperta minha mente para aquilo que devo fazer, mostra-me também o que devo evitar.

Sei que tu me amas, cuidas de mim, por isso, desde já, agradeço-te por tudo e aceito tudo o que me permitires passar neste dia de hoje. Creio firmemente em teu amor e confio incondicionalmente em tua divina Providência. Declaro agora que este dia já está consagrado a ti.

Amém!

Pai nosso que estais no céu...
Ave-Maria, cheia de graça, o Senhor é...

Agradeça ao Senhor por este tempo passado em sua presença. Louve-o por sua bondade. Termine com uma canção de louvor ou que proclame a vitória do Senhor. Revista-se de alegria e vamos viver bem o nosso dia.

Pelo sinal da Santa Cruz, livrai-nos Deus, Nosso Senhor, dos nossos inimigos. Em nome do Pai, do Filho e do Espírito Santo.

Amém!